**The item should be returned or renewed
by the last date stamped below.**

Dylid dychwelyd neu adnewyddu'r eitem erbyn
y dyddiad olaf sydd wedi'i stampio isod

To renew visit / Adnewyddwch ar
www.newport.gov.uk/libraries

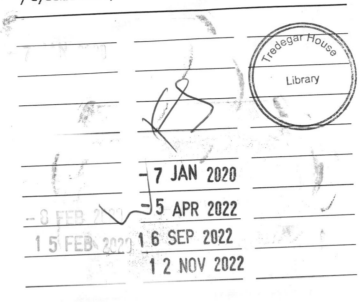

RILY

www.rily.co.uk

Cyhoeddwyd gan Rily Publications Ltd 2019
Rily Publications Ltd, Blwch Post 257, Caerffili, CF83 9FL
Hawlfraint yr addasiad © Rily Publications Ltd 2019

Addasiad gan Eleri Huws

Cyhoeddwyd gyntaf yn Saesneg yn 2014 dan y teitl *Pip and Posy: Look and Say*
gan Nosy Crow Ltd, The Crow's Nest,10a Lant Street, Llundain SE1 1QR

ISBN 978-1-84967-440-9

Cyhoeddwyd gyda chymorth ariannol
Cyngor Llyfrau Cymru.

Argraffwyd yn China

Ben a Betsan
Hwyl a Sbri

Axel Scheffler

Addasiad
Eleri Huws

Mae Ben a Betsan yn hoffi
gwneud pob math o bethau!

Ble mae...

siglenni   sgwter   mainc

Yn y parc, maen nhw'n cymryd tro i fynd ar sgwter Ben.

 llithren

 coeden

 malwen

 si-so

 ceiliog siglo

Ar ddiwrnod braf, mae'r ffrindiau'n mynd
i'r dre i siopa. Mae hi'n brysur iawn yno!
Heddiw, mae Ben wedi prynu balŵn fawr goch.

Ble mae...

bag

balŵn

orenau

colomen

helmed

pysgodyn

poster

beic

"Ond mae chwarae yn y tywod yn fwy o hwyl na siopa!" meddai pawb.

Ble mae...

sach gefn

blodyn

llyffant

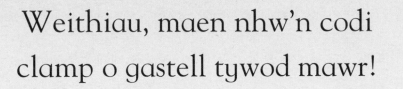

Weithiau, maen nhw'n codi
clamp o gastell tywod mawr!

gwenynen   tŷ   rhaw    bygi    bwced

Ble mae...

aderyn

deilen

gwlithen

Ar ddiwrnod gwlyb,
mae Ben a Betsan yn aros yn y tŷ.
Dy'n nhw ddim yn hoffi gwlychu!

can dŵr

ffens

gellygen

Betsan

sgubell

Ond pan mae'n bwrw eira, mae PAWB yn hoffi chwarae tu allan!

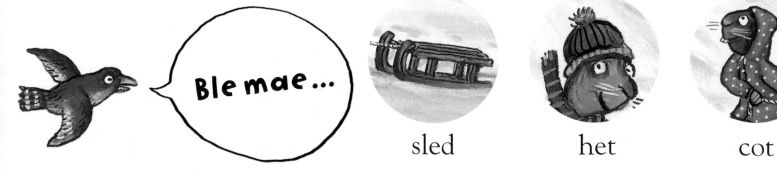

Ble mae...

sled   het   cot

Edrychwch pa mor gyflym mae
sled Ben a Betsan yn gwibio!

"Whîîîîîîîî!"

maen nhw'n gweiddi.

robin

gogls

bŵts

menig

sgarff

Yn ôl yn y tŷ, maen nhw'n
tynnu eu cotiau a'u bŵts.
Mae'n braf bod yn glyd ac yn gynnes!

Ble mae...

bowlen ffrwythau

llun

ffôn

"Beth hoffet ti chwarae, Ben?"
mae Betsan yn gofyn.

 bwlyn y drws   allweddi    welis   blodau    llythyr

Pan mae Ben a Betsan yn chwarae, daw POPETH o'r bocs teganau! "Y trên yw fy ffefryn i," meddai Ben. "Tŵt! Tŵt!"

Ble mae...

dafad   car   ceffyl

Mae Betsan wrth ei bodd yn adeiladu tŵr.
Mae hi'n gosod y blociau'n ofalus iawn.

trên

cath

bloc adeiladu

arth

dinosor

Ar ôl cael hwyl yn chwarae,
mae'n amser i bawb gael snac –
hyd yn oed y teganau!

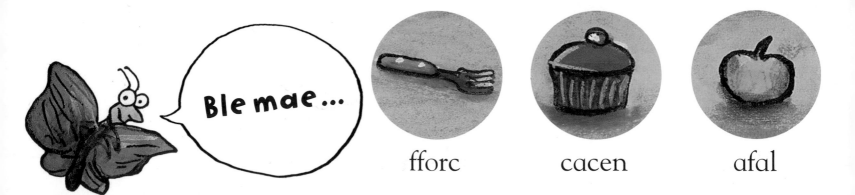

Ble mae...

fforc   cacen   afal

"Dwi am gael diod oer
a ffyn moron," meddai Ben.

cyllell

wy

moron

mŵg

llwy

Ambell dro, mae Ben yn esgus bod yn anghenfil blewog.
"Dwi'n dod i dy oglais di!" mae'n rhuo.

Ble mae...

clustog   jwg   llenni

Mae Betsan yn chwerthin.
"Ha ha!" meddai.
"Doniol iawn!"

silff lyfrau   swits golau   mat   pegiau   cadair freichiau

Lle bynnag maen nhw, a beth bynnag maen nhw'n ei wneud ...

Ble mae...

llwybr

simdde

llygad y dydd

... mae Ben a Betsan wastad
yn gofalu am ei gilydd.

chwilen

pêl

mwydyn

nyth

ffenest

Ar ddiwedd diwrnod o hwyl a sbri, mae
Ben a Betsan yn hoffi cael bath twym ...

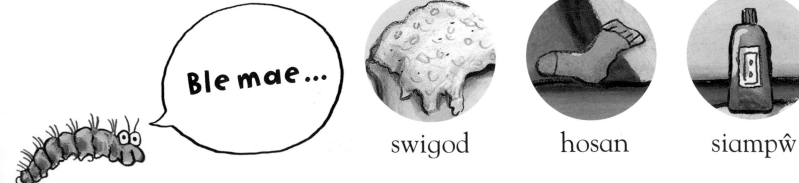

Ble mae...

swigod   hosan   siampŵ

... a llond y lle o swigod!

Hwrê!

hwyaden

tŷ bach

poti

past dannedd

papur tŷ bach

Cymraeg-Saesneg / Welsh-English

aderyn bird
afal apple
*allweddi keys
*arth bear
bag bag
*balŵn balloon
beic bicycle
*Betsan Betsan
bloc adeiladu building block
blodau flowers
blodyn flower
*bowlen ffrwythau fruit bowl
*bwced bucket
bwlyn y drws door handle
bŵts boots
bygi pushchair
*cacen cake
*cadair freichiau armchair
can dŵr watering can
car car
*cath cat
ceffyl horse
ceiliog siglo rocker
*clustog cushion
*coeden tree
*colomen pigeon
*cot coat
crocodeil crocodile
cwpwrdd cupboard
*cyllell knife
*chwilen beetle
*dafad sheep
darlun painting
*deilen leaf
dinosor dinosaur
eliffant elephant
*ffenest window
*ffens fence
ffôn telephone

*fforc fork
*gellygen pear
gogls goggles
*gwenynen bee
*gwlithen slug
*helmed helmet
*het hat
*hosan sock
*hwyaden duck
jiráff giraffe
*jwg jug
lle tân fireplace
*llenni curtains

*llithren slide
llun picture
*llwy spoon
llwybr path
llyffant frog
llygad y dydd daisy
llythyr letter
*mainc bench
*malwen snail
mat doormat
*menig gloves
mochyn pig
moron carrot

mŵg mug
mwydyn worm
*nyth nest
orenau oranges
papur tŷ bach toilet roll
past dannedd toothpaste
pegiau dillad coat hooks
pengwin penguin
*pêl ball
poster poster
poti potty
pysgodyn fish
robin robin
*rhaw spade
*sach gefn rucksack
*sgarff scarf
*sgubell broom
sgwter scooter
siampŵ shampoo

*siglenni swings
*silff lyfrau bookcase
*simdde chimney
si-so see-saw
*sled sledge
*swigod bubbles
swits golau light switch
trên train
tŷ bach toilet
tŷ house
welis wellies
wy egg

*means that a word is feminine
in its singular form